NAME

a a a a a a a

a a a a a a a

CW00546438

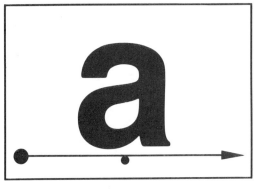

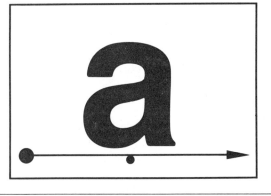 

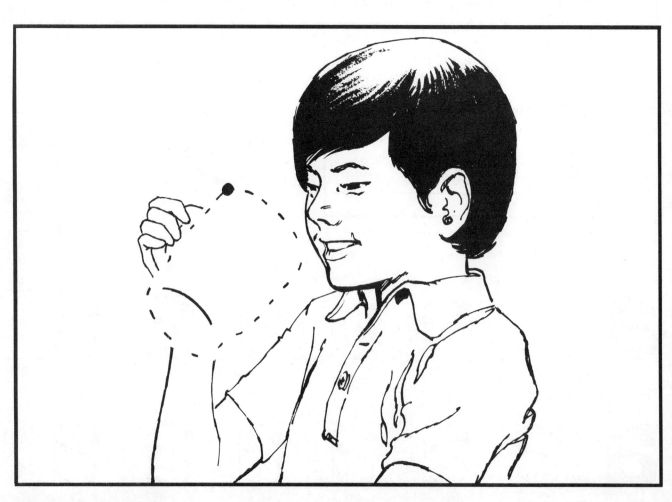

a a a a a a a a

a a a a a a a a

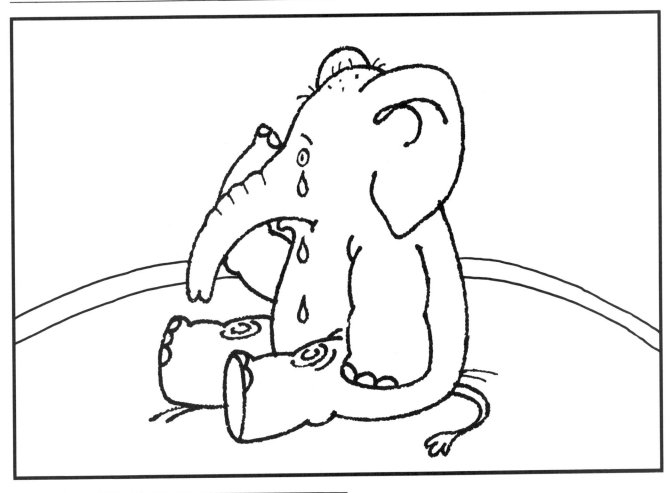

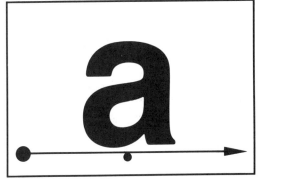 

a a a a a a a a

a a a a a a a a

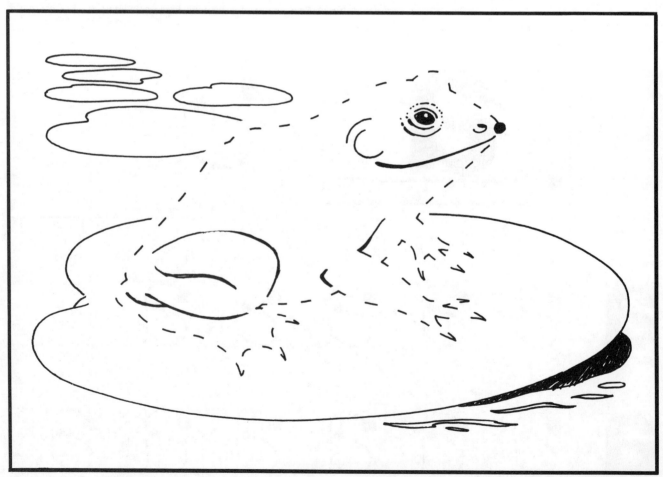

m  m

 m

 m

m

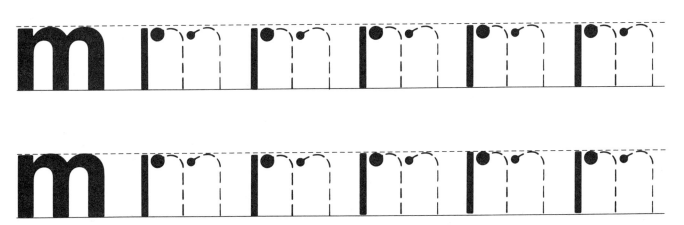

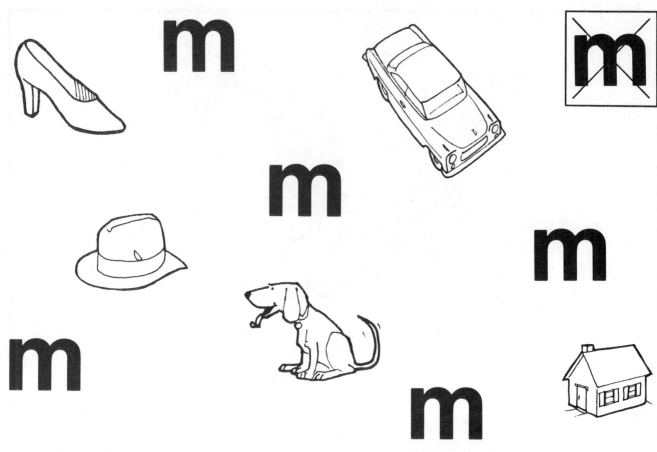

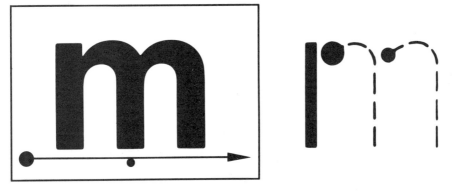

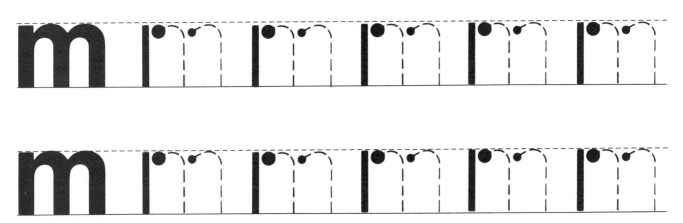

a

a

a

m

a

a

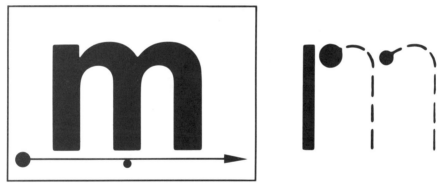

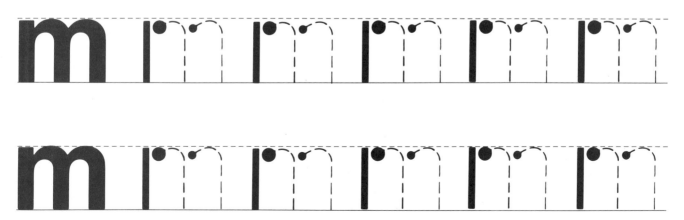

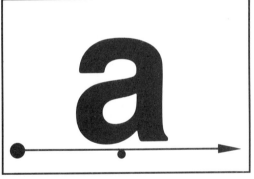 

a a a a a a a a

a a a a a a a a

m

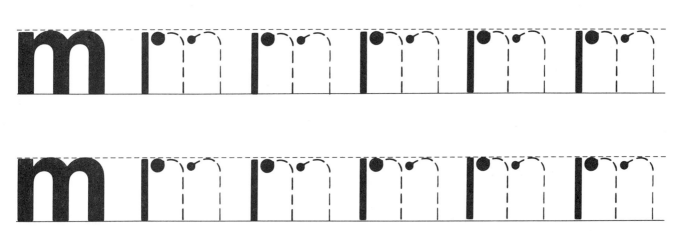

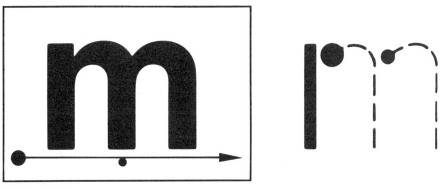

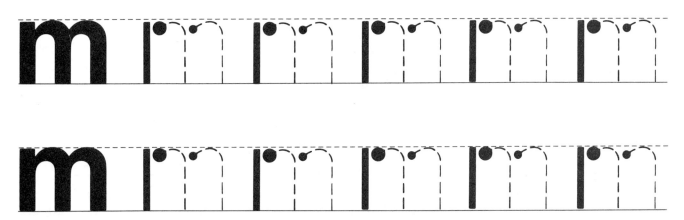

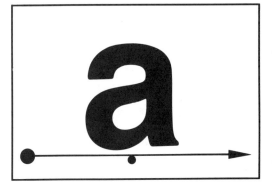 

a a a a a a a a

a a a a a a a a

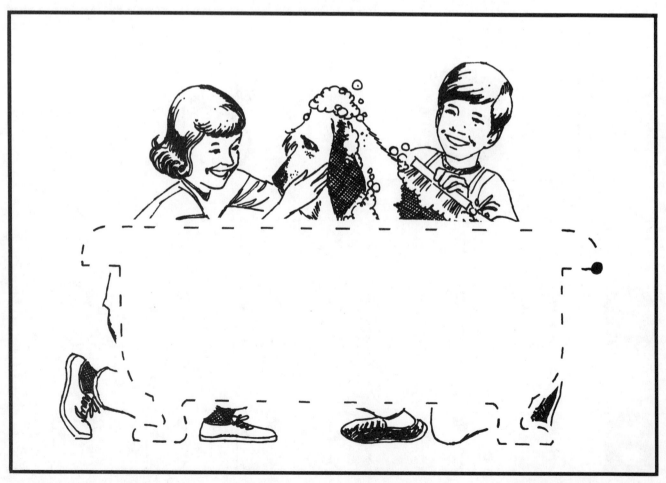

m

a

a

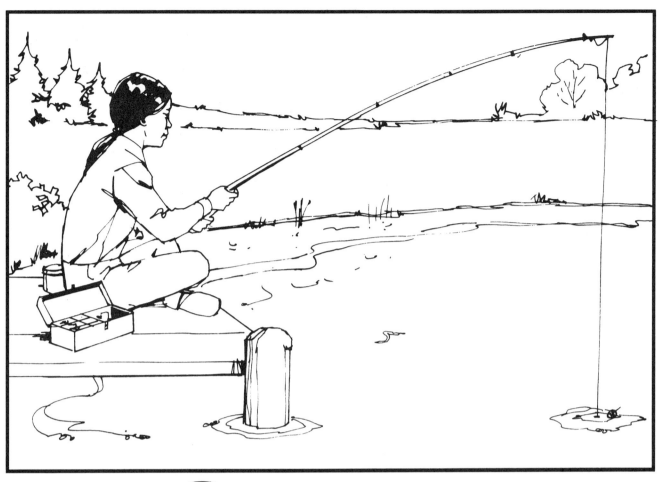

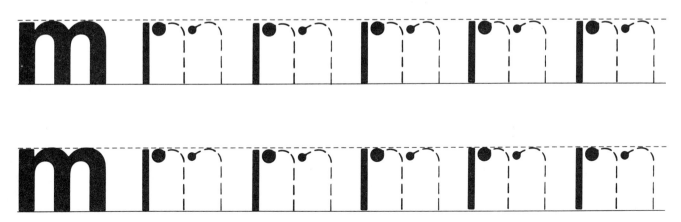

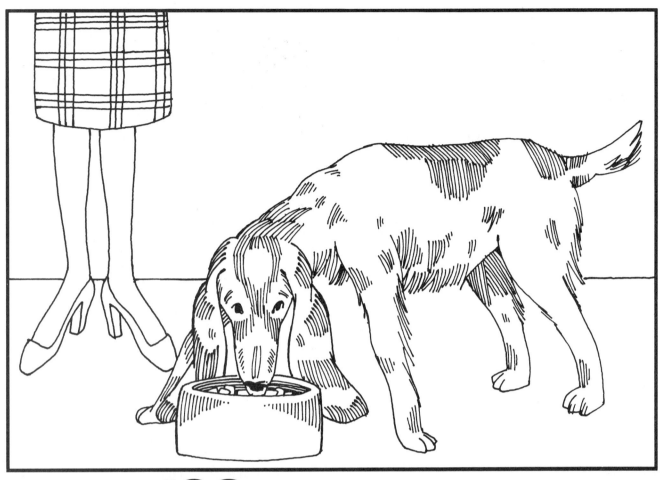

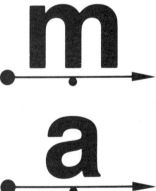

a a a a a a a a

a a a a a a a a

s a m s

s m

s

s

s

a

m s s

a
s

S

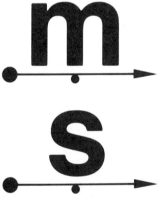

s s s s s s s s

s s s s s s s s

m m m

m a

s m

s m

m

s

m

a

s

a m

ē

ē

ē

a

a

m   s   a

s

a

m   a

ē

m a

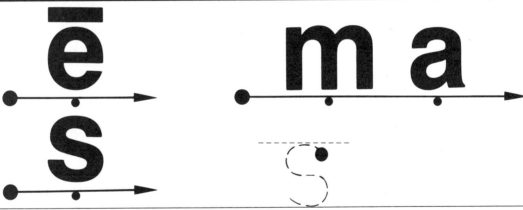

s s s s s s s

s s s s s s s

s ē

a ē

ē ē

a

ē

ē

s

ē

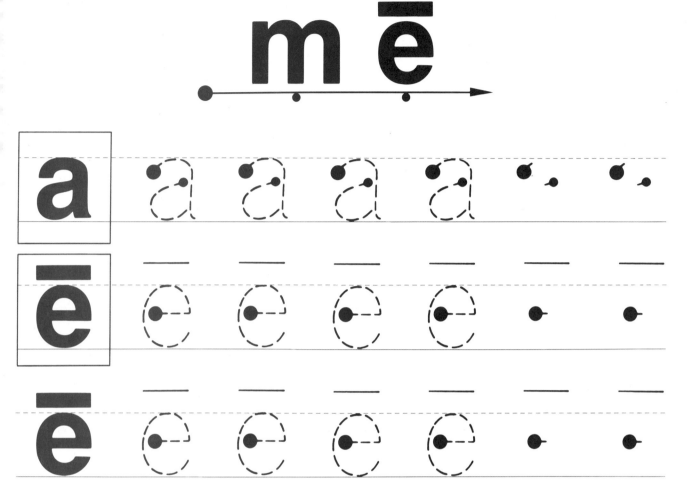

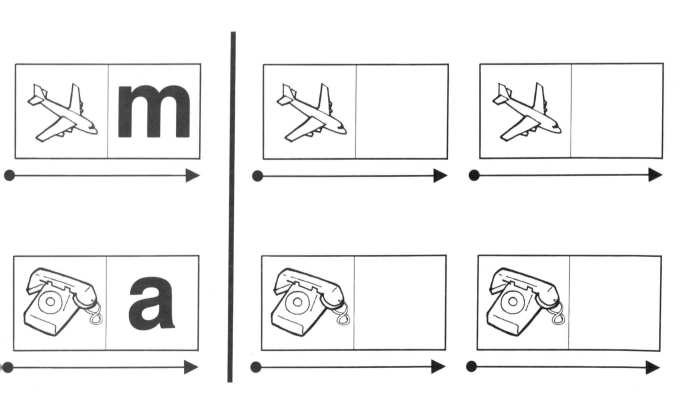

s

s

s

m

s

a

s

a

ē

ē

s

s

m

s

s a

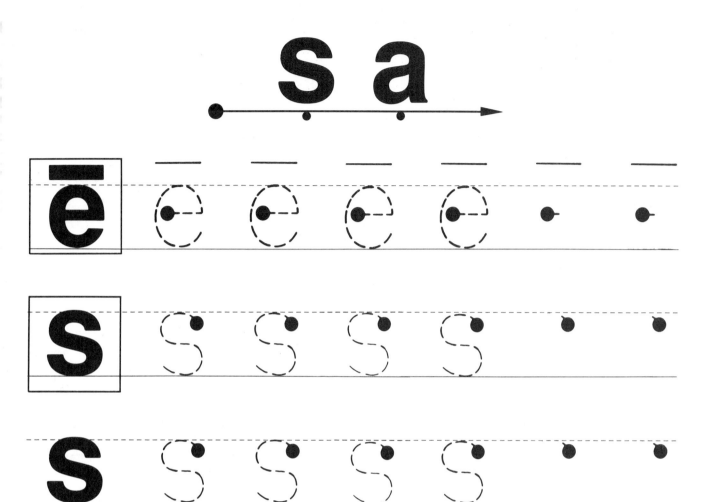

ē s a

ē

ē

ē ē

ē

a

m

ē

m ē

a ē s m ē

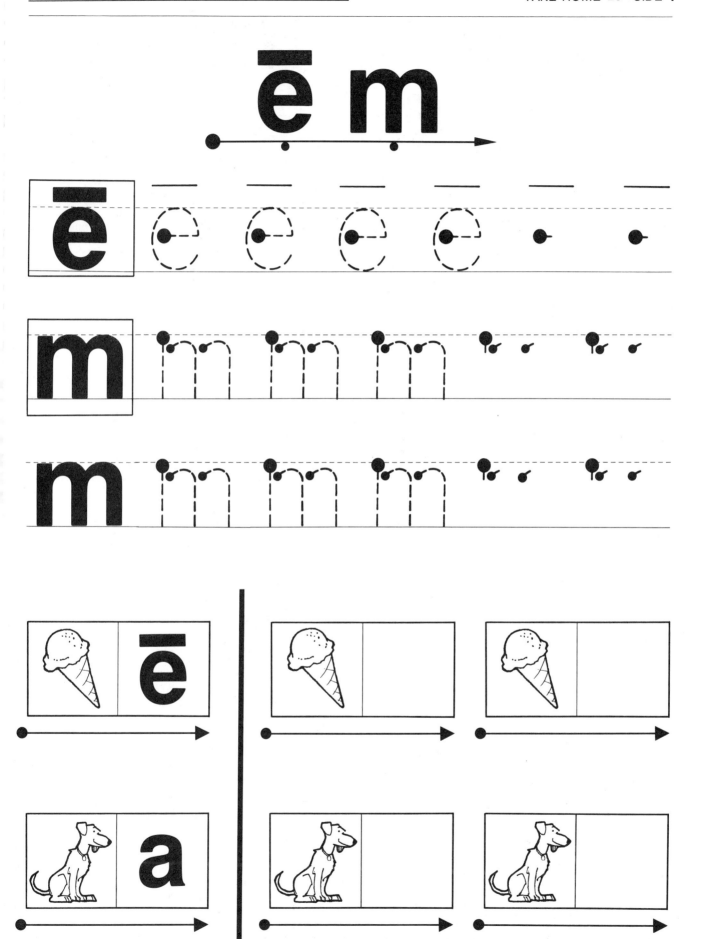

m a s m m

a

m m ē m

m s m ē a m

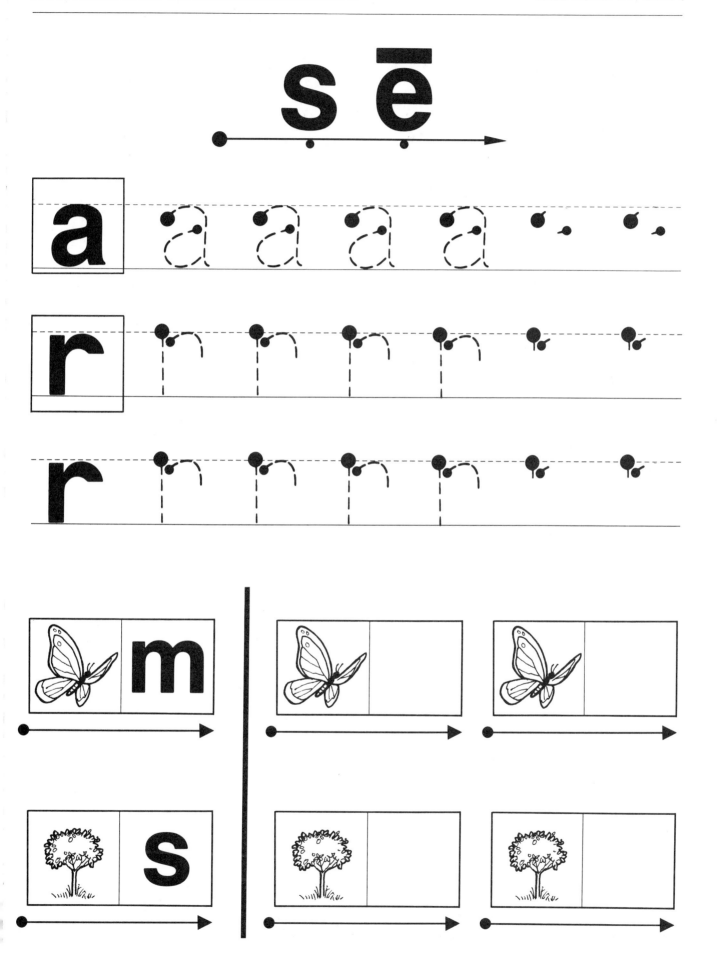

r r r
r m
r s
r a
m r
ē r
r r m
r m

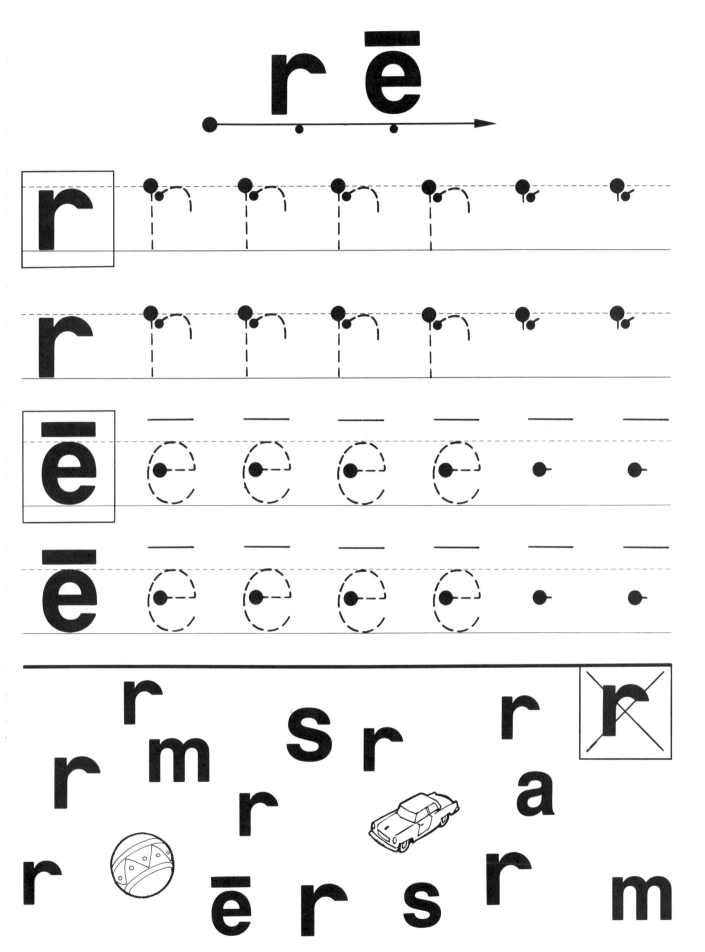

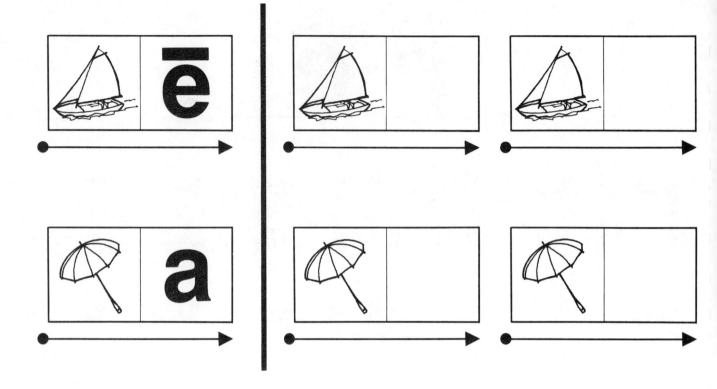

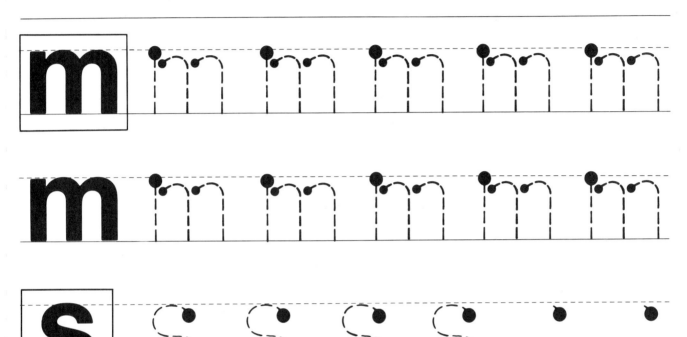

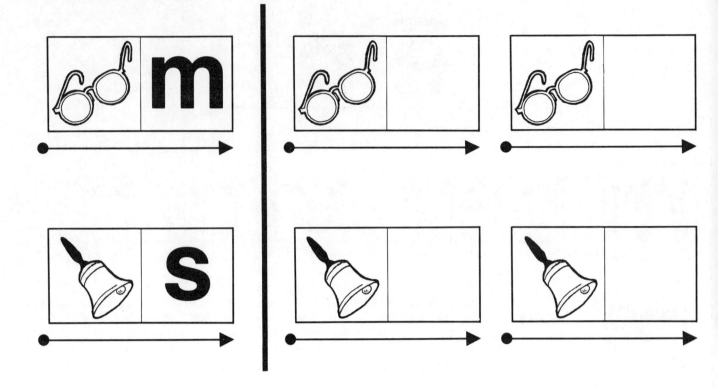

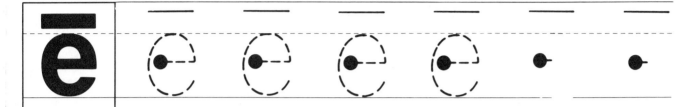

ē ē ē ē ē

ē ē ē ē ē

a a a a a

a a a a a

m

s m m
m m ē
s a
m r m m m r
m m r m m

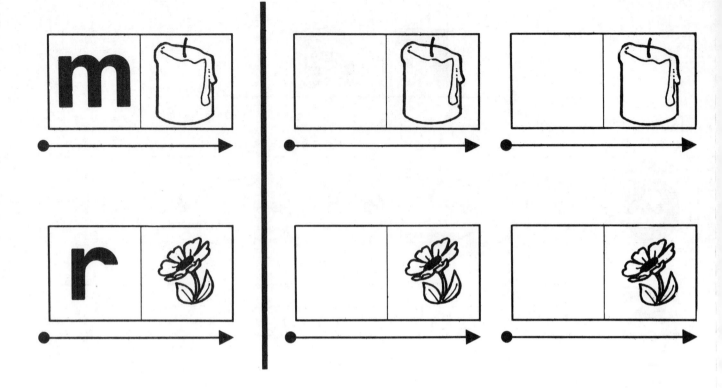

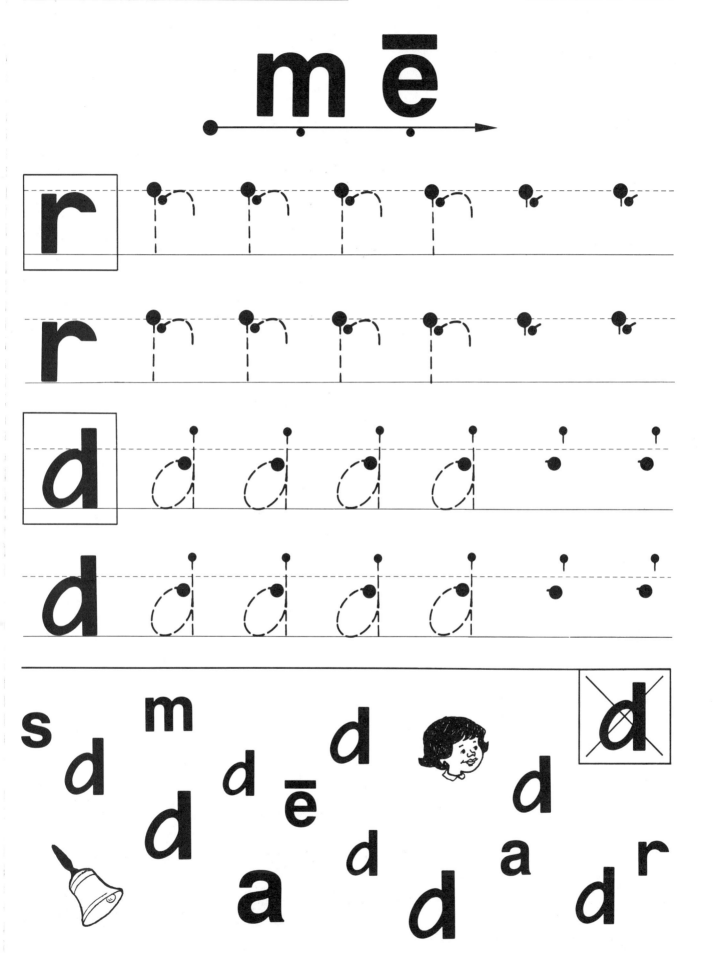

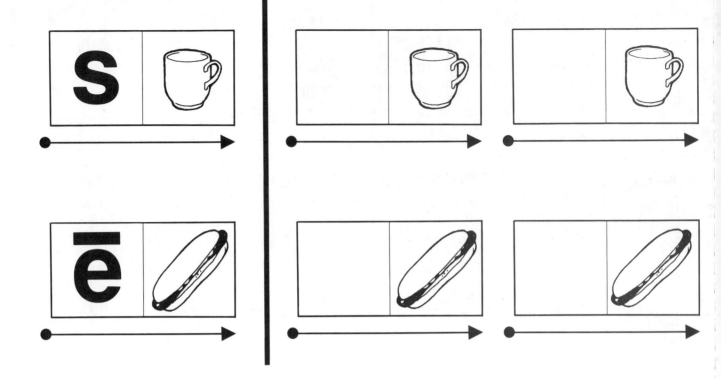

s **ē**

s

s   r

s   **ē**   **s**

m

a   **s**   **m**

s

r   **s**

d   **s**

r   **m**

s   **d**

m   **r**

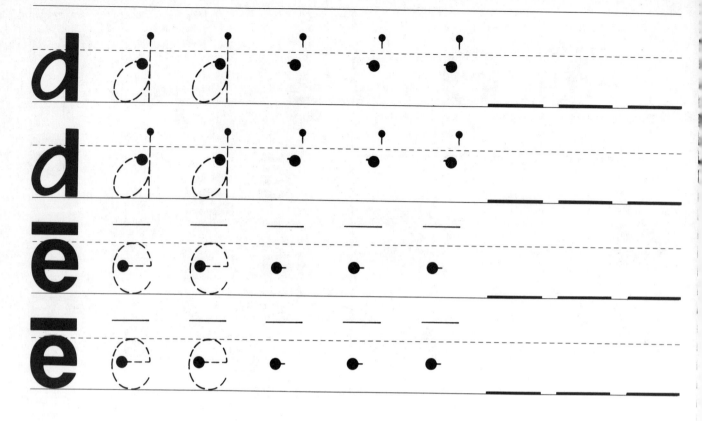

m **a**

d

ē

ē⃠

ē

s

r

ē

r

ē

ē

ē

a

ē

s

ē

s

a

d

d

ē

a

r

ē

ē

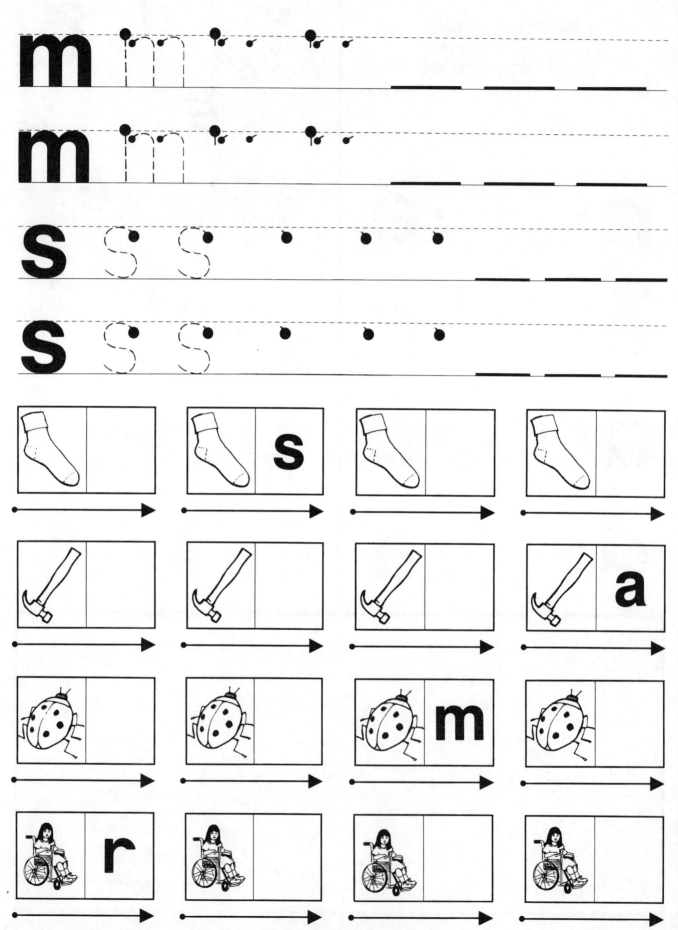

r a

r ē
r s
r
d
m s
r
d r
r
r
r s r

s
a
d
m

m
a
s
d

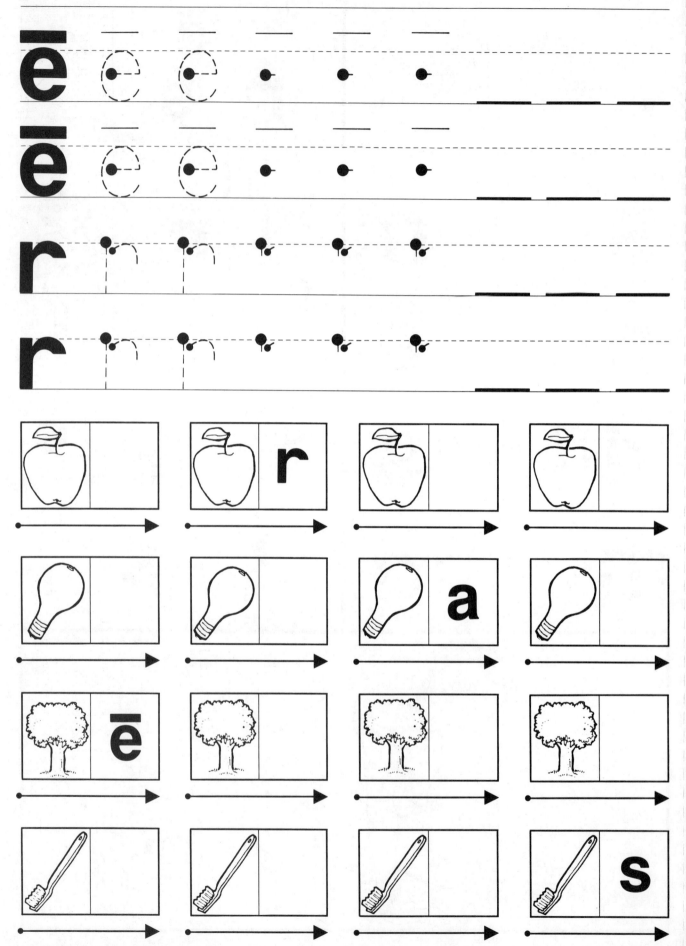

m ē

f

f a

f r

f

f m

a f

f r

f

f

ē f

f

ē f

s •   • r

r •   • a

f •   • s

a •   • f

m •   • ē

ē •   • m

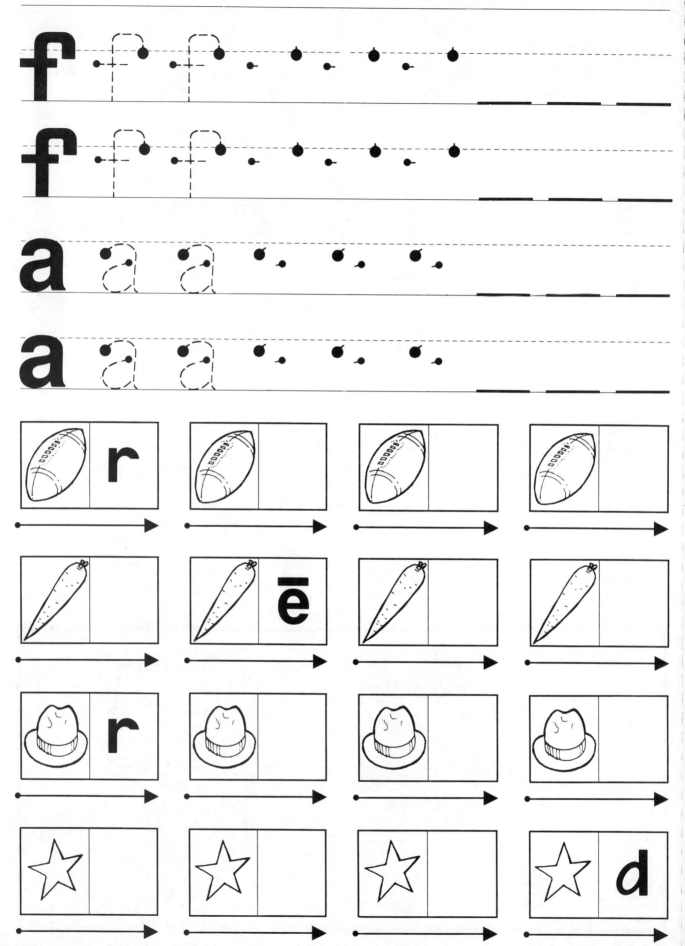

ē m

s m m
m r
m r
m s
🚲
m r
🍎
m s m
m
r m

ē •   • r
d •   • rē
f •   • m
a •   • f
r •   • a
m •   • d

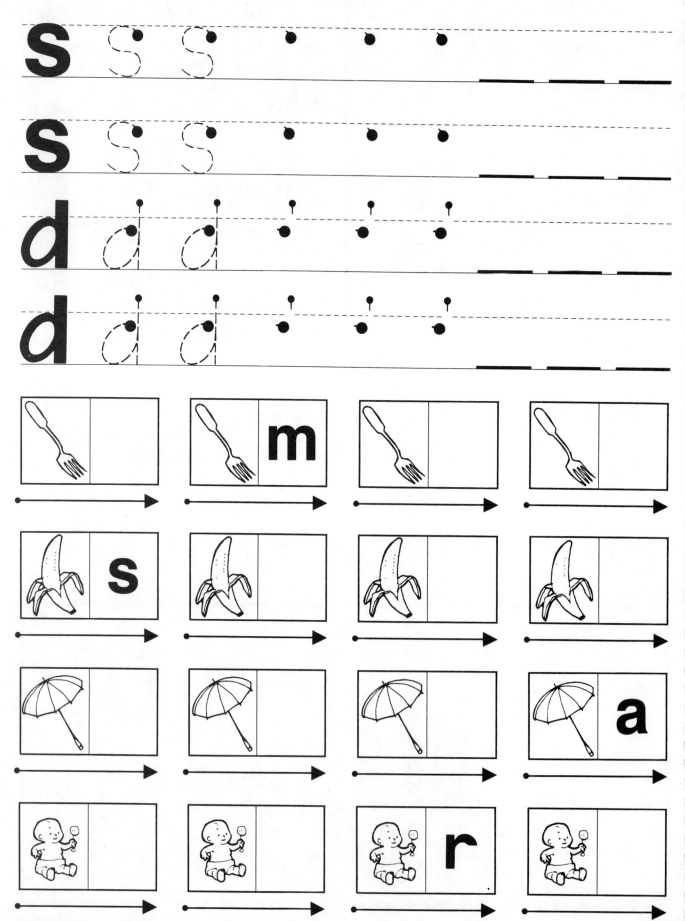

am

dē
d

d   d   f

r •   • d

r̄ •   • r

s •   • r̄

f •   • f

d •   • a

a •   • s

d   d   f

d   m

d   ē   d

ē   d   d

m   d   f

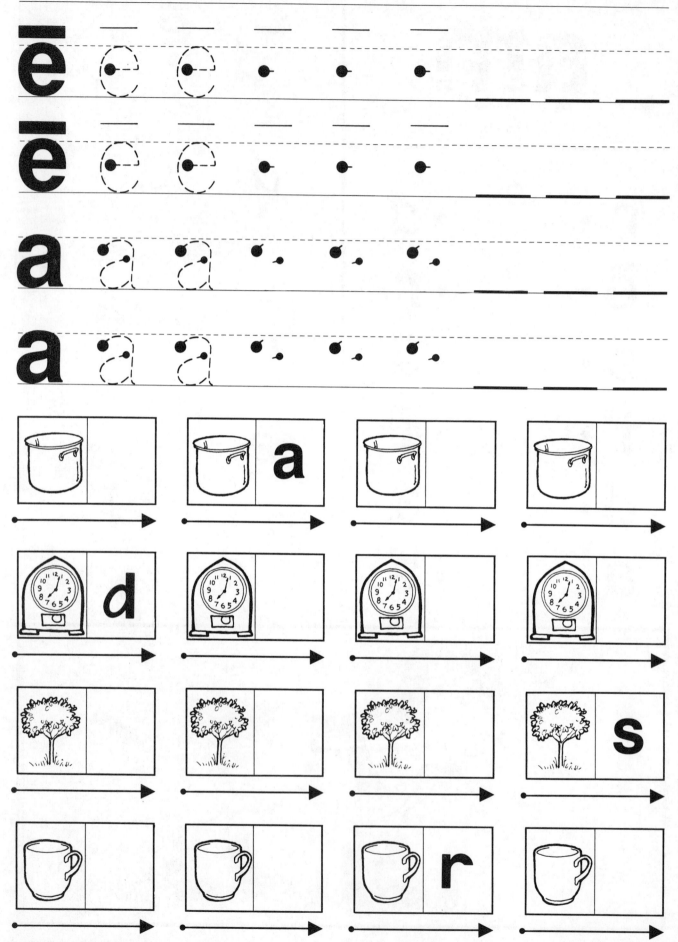

mē

i

i

i

i

d

ē •   • a

m •   • f

s •   • m

f •   • d

a •   • ē

d •   • s

i   d

f   i   d

i   s   i

d   i

i   f

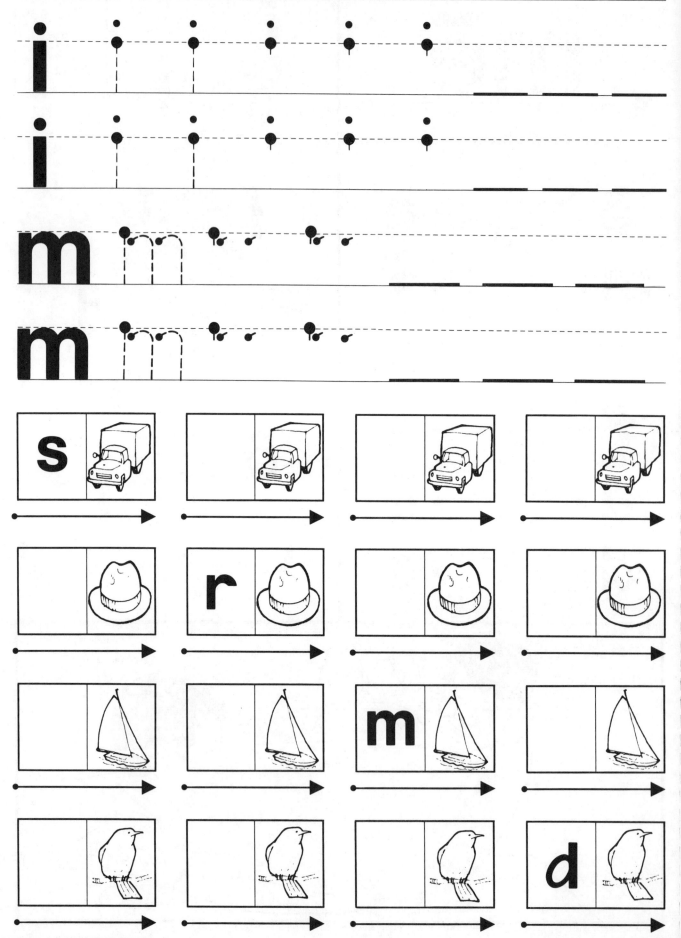

ē_ar

m   r $\times$ r

r •   • i

d •   • a

i •   • r

ē •   • f

a •   • d

f •   • ē

m   r

i   r   r   ē

i

r   s

r   i

r

r   r

s

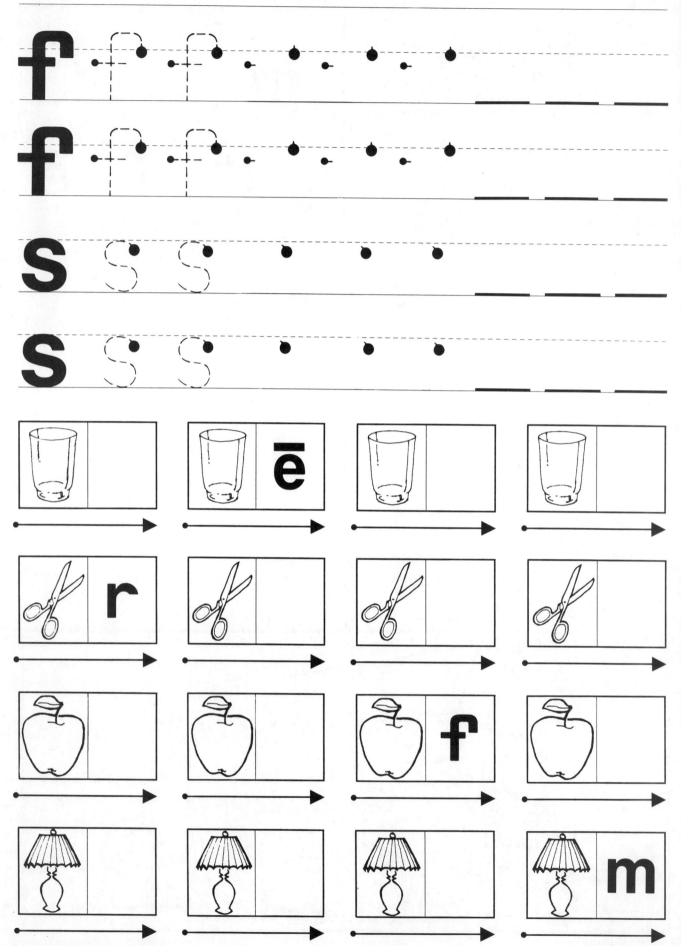

ram

i•   •a

s•   •a f

ē•   •s

r•   •i

a•   •r

f•   •ē

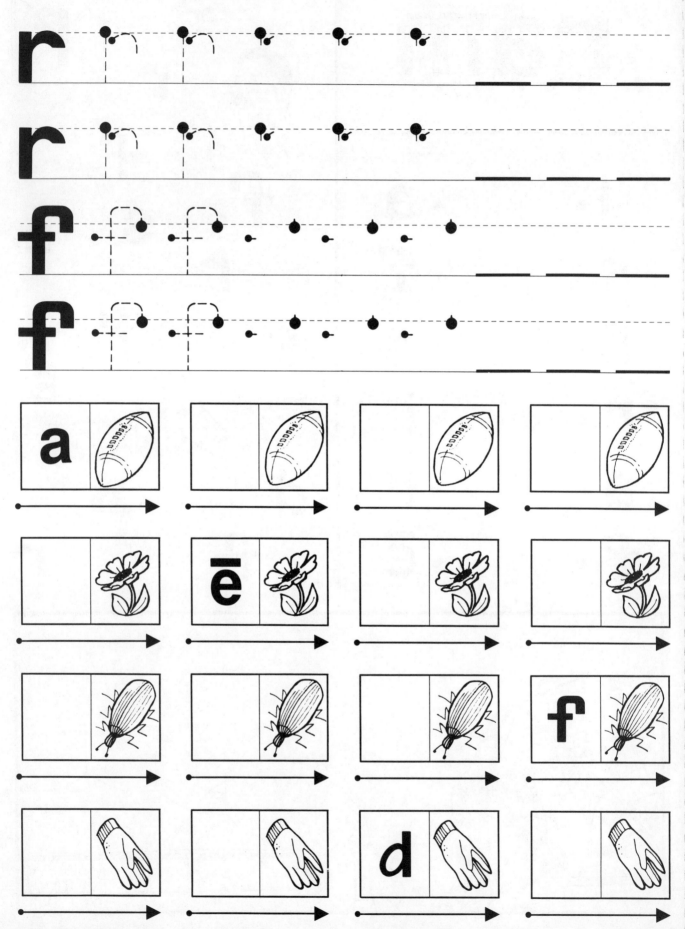

sēē

s •   • m

i •   • mē

f •   • s

d •   • f

m •   • i

mē •   • d

ē

i   ē   i

d

f

i   f   i

i   ē   i

i

i   i

i   d   i

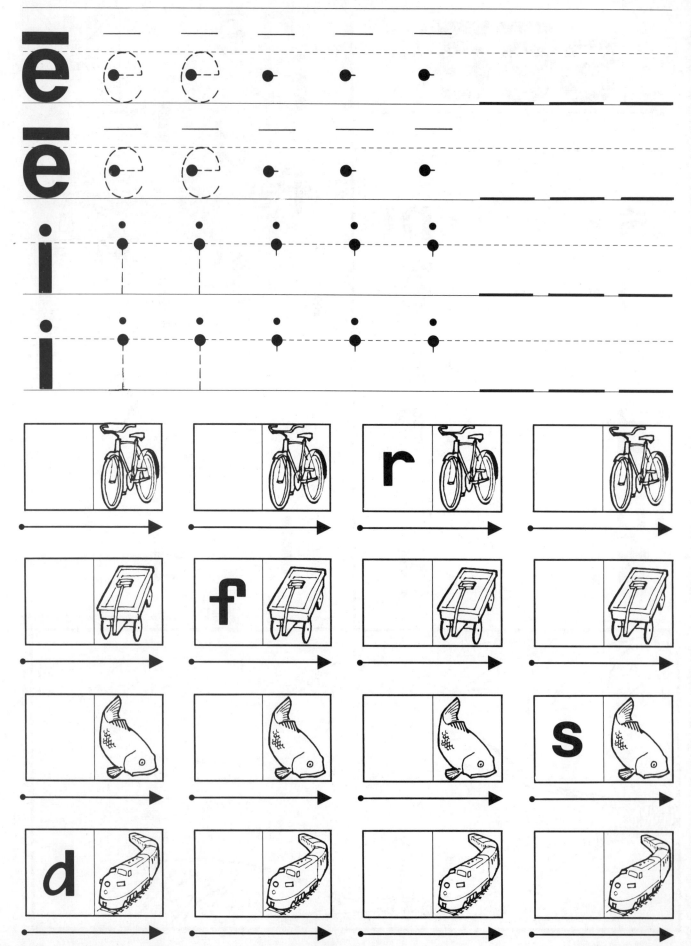

am

th
th
r th
th
th
th
f
th
s f th

f

th

a • • r
r • • d
i • • s
d • • a
f • • i
s • • f

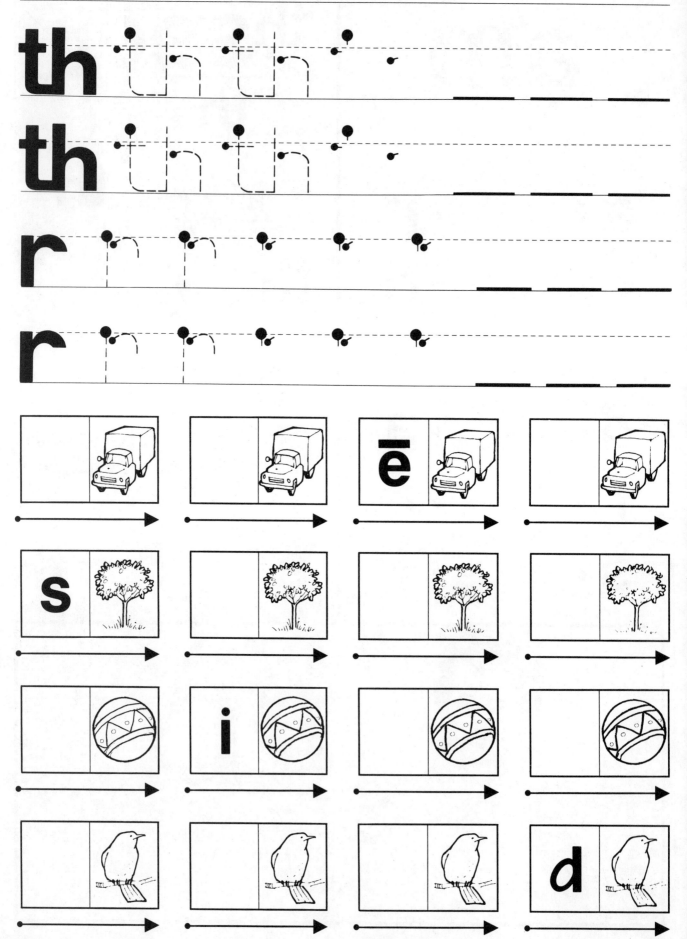

am   sēē

| s | |

| s | a |

| a | |

| s | |

| f | m |

| f | |

| f | |

| | m |

| | f |

| ē | |

| ē | f |

| | f |

| d | |

| | r |

| d | |

| d | r |

m a d ☒(d)

d d

i a

d d

d th i

d d

d m

m • • d

th • • ē

i • • th

f • • i

ē • • m

d • • f

th
th
i
a
s
d
ē

mē

add

add

r	

	r

	ē

r	ē

	f

s	

s	f

	f

a	

a	d

	d

a	

i	m

	m

i	

	m

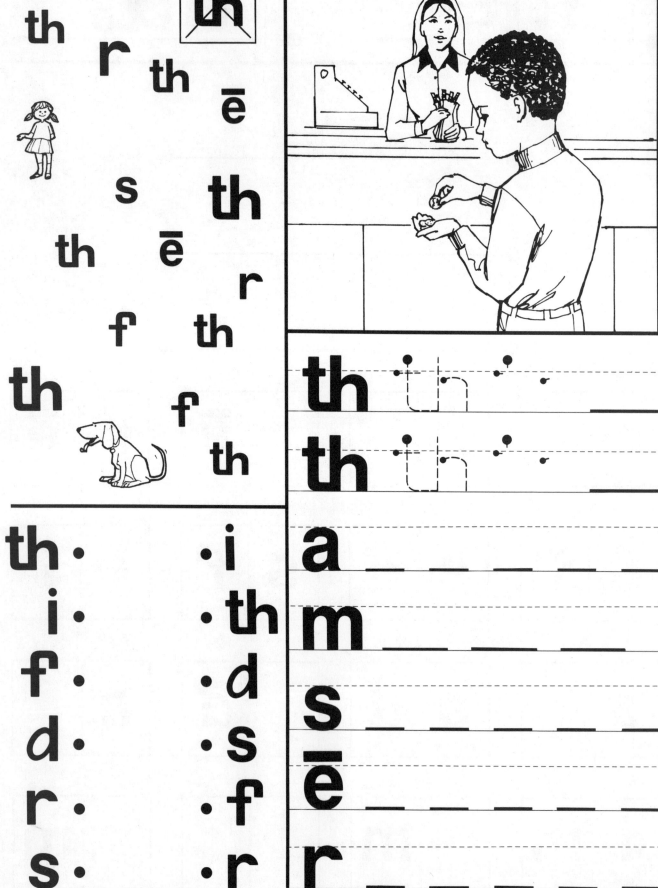

th

th
th
r
th
ē
s
th
th
ē
r
f th
th
f th

th   · i
i ·   · th
f ·   · d
d ·   · s
r ·   · f
s ·   · r

th
th
a
m
s
ē
r

sēē   **mē**

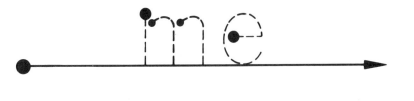

m f | m | | | f | m | |

ē | | | s | sē | | ēs |

d | | *d* | a | | a | *d* | |

r | | | m | r | m | r | |

ē

| f̶ | ⓔ̄ |

ē

f   r

s   ē

d

ē   f

m   th

s   f

f

d   ē

th _____

r •   • d   i _____

rē •   • s   f _____

s •   • r   d _____

d •   • rē   s _____

th •   • m   a _____

m •   • th

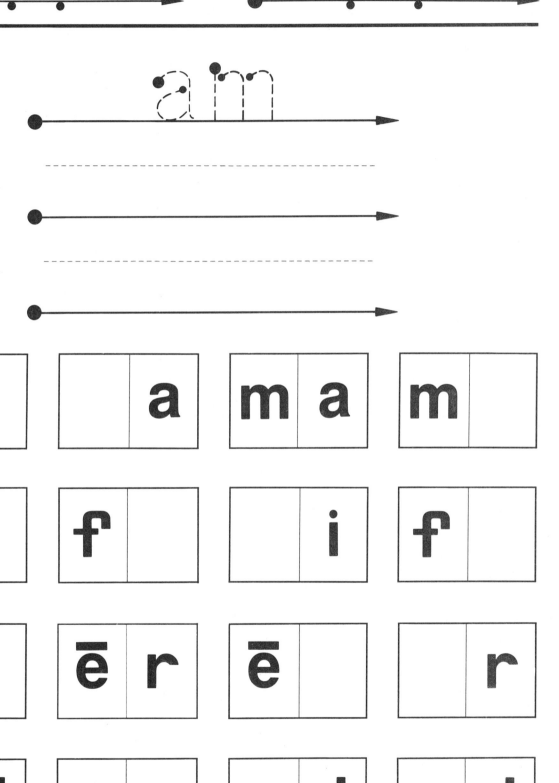

m			a	m	a	m	

f	i	f			i	f	

ē		ē	r	ē		r

d	s		d	s	d

r̶ ā a

s

a   r
    ē
r   a
  f
        r
a   s

  r   f
        a
i

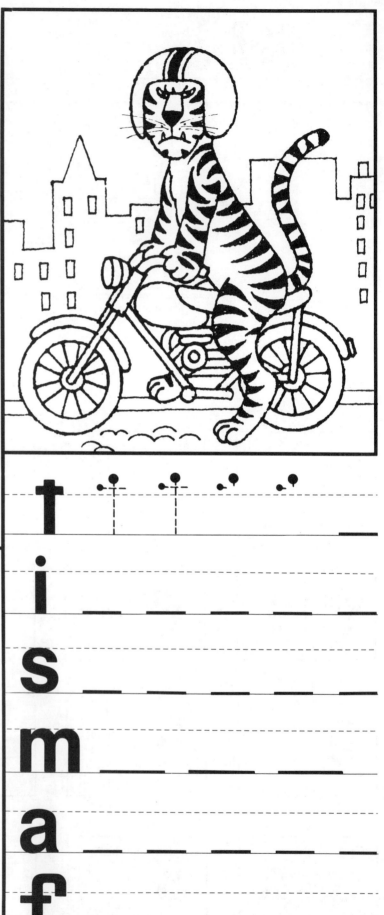

t •   • m
m •   • f
f •   • a
th •   • t
a •   • i
i •   • th

t
i
s
m
a
f

sēē

thē

m	

m	

m	s

	r

d	r

	r

	f

i	f

i	

s	i

s	

	i

s

m

th

ē   f

d

s

s   t

a

s

m

m   i

m

ē •   • r

th •   • t

t •   • ē

f •   • th

r •   • d

d •   • f

th

t

d

ē

m

a

mē

ēat

mē

ē	

	d

ē	d

i	m

i	

	m

a	s

a	

	s

	d

r	d

r	

~~th~~ (r)

r
i
th
r
d

r
m
th
f
th

th
i
r
f
a

i •
t •
a •
f •
m •
s •

• t
• m
• s
• i
• f
• a

t
i
s
d
r
e

mad   is

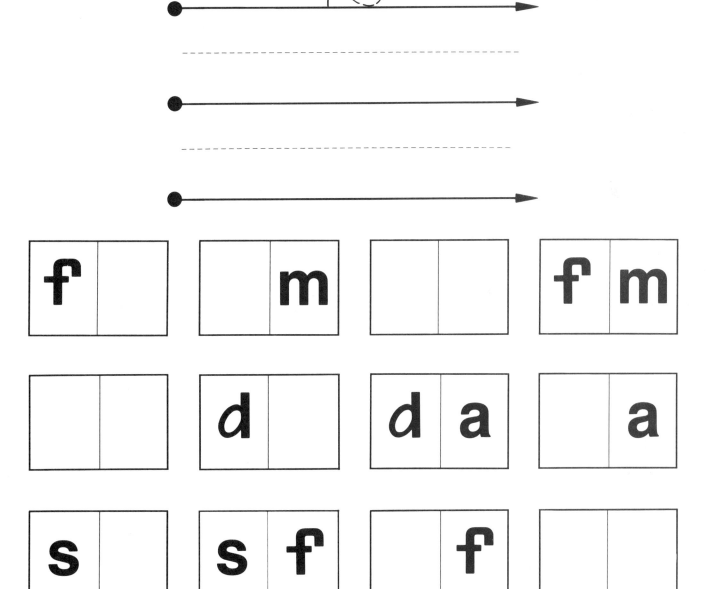

n

~~d~~ (m)

d m

r d t

m ē

m

th

d i

d

f m

n • • th

t • • i

i • • t

th • • r

d • • n

r • • d

n

f

d

t

m

a

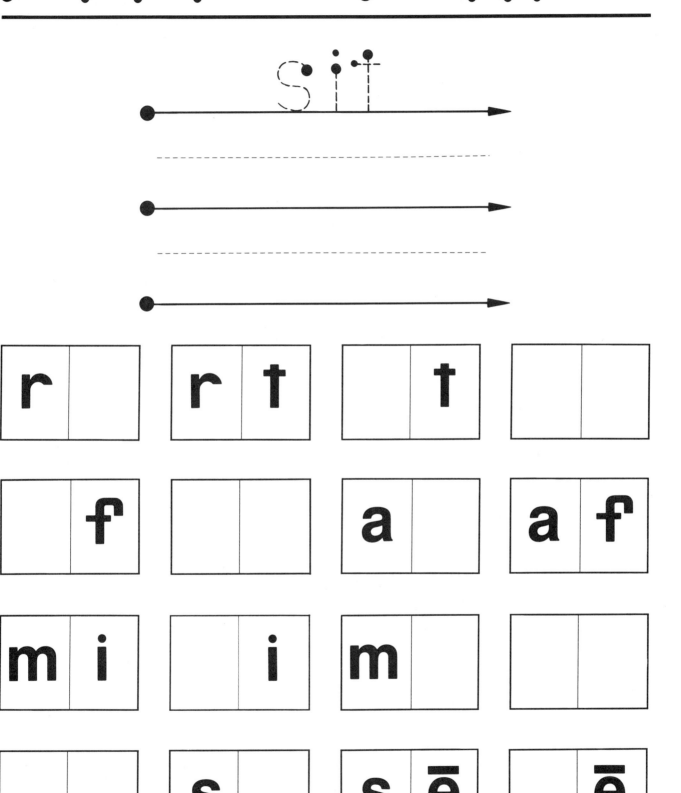

| ̶t̶ | ⓔ̄ |

t
r
ē
s
d
ē
th
t
ē
d
t
ē
m
t
ē

t •   • s   t
i •   • r   a
th •   • t   n
r̄ē •   • i   m
s •   • th   s
             • ē   ē

that is mē.

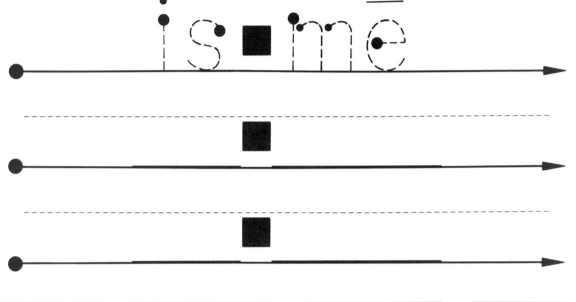

	r		f
		f	r

| d | m | | | d | | | m |

| | | t | n | | n | t | |

| | ē | ē | i | | i | ē | | |

s̶ (t)

i

t   s

i   n

s   t   i

n   th

t   n   t

d   f   s

s

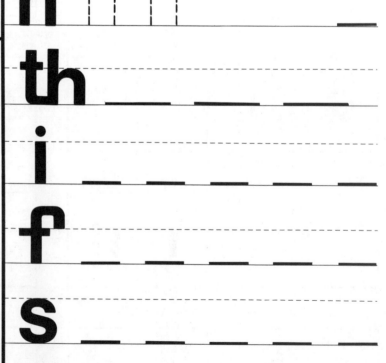

th·   ·f

f·   ·n

d·   ·a

n·   ·d

t·   ·th

a·   ·t

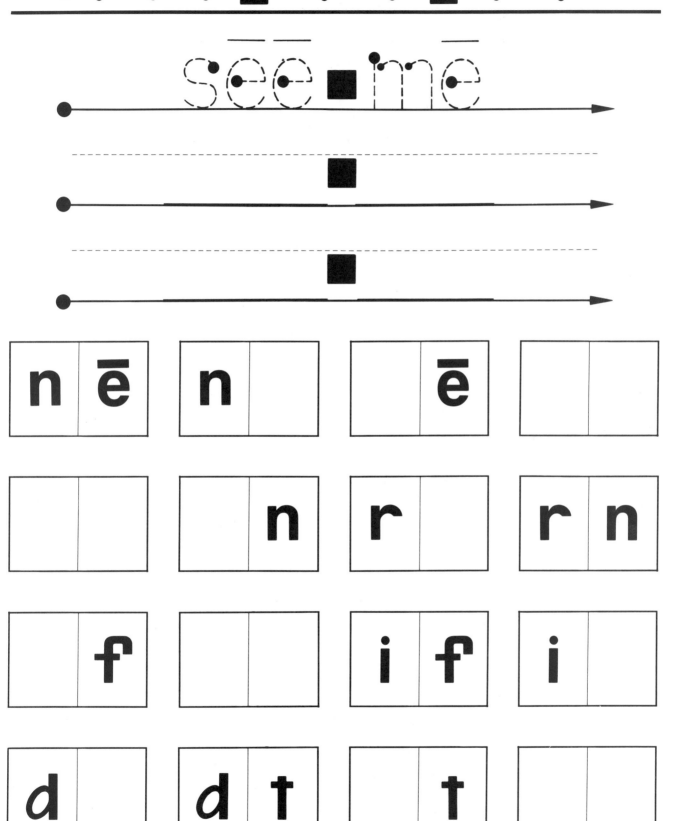

f̶ (a)

f   t   i

a   s   f

th   a

a   f   t

n

f   a   i

n •   • m

r •   • th

i •   • r

th •   • f

f •   • i

m •   • n

n

t

s

m

d

r

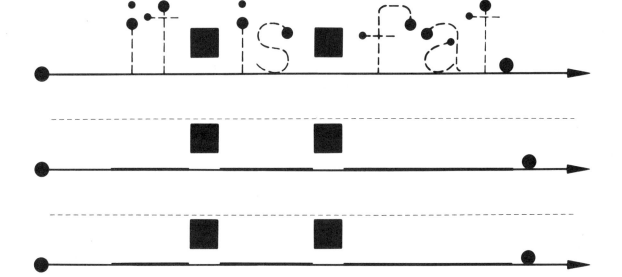

 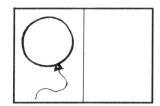 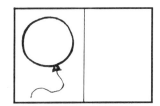 

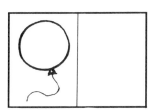   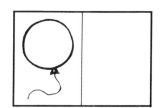

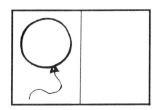  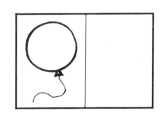 

n

| ☒ i | (n) |

n

th

c

n

f

i

i

i

n

d

th

n

c

c

t

th

ē

c

f

n

i

c

t

f

n

m

i

NAME _____

TAKE-HOME **51** SIDE **1**

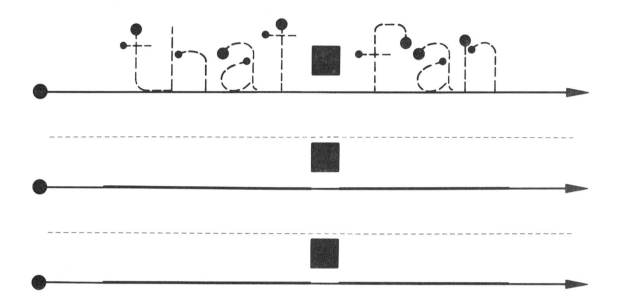

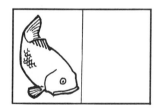 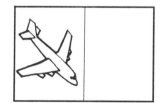 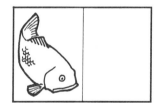 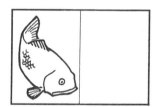

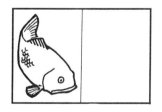 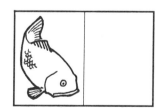 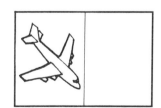 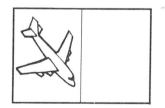

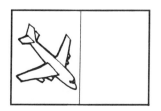 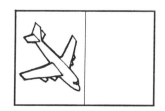 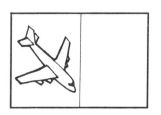 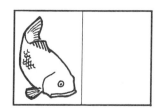

r̶ (ē)

c

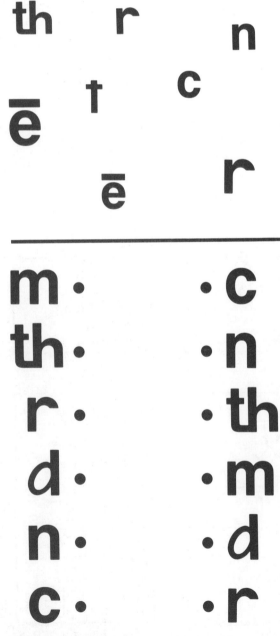

c r i
r ē
t r̄
th r̄
ē t r c
ē t r
ē r

m •   • c
th • • nth
r • • nth
d • • m
n • • d
c • • r

c ⊂ ⊂ • •

d

t

o ○ ○ • •

n

n̄ē

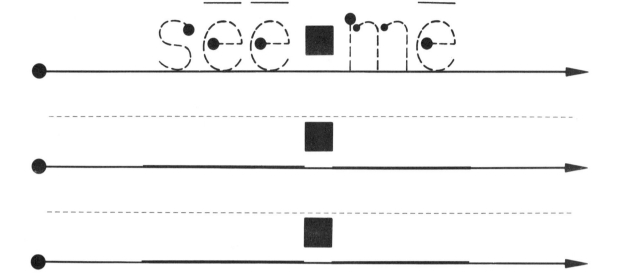

sēē mē sit.

sēē ■ mē

 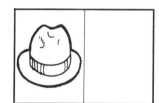 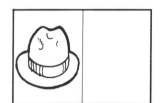 

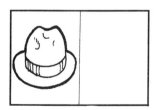 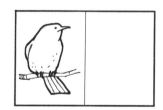 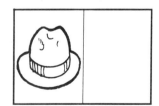 

 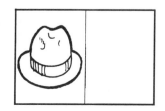 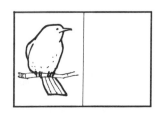 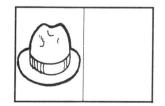

c̶ n

i
th t c
c n f
i c n
n th t
n c

f •   • r
r •   • n
n •   • ē
c •   • i
i •   • f
ē •   • c

n
c
th
t
d

thē . sad . man

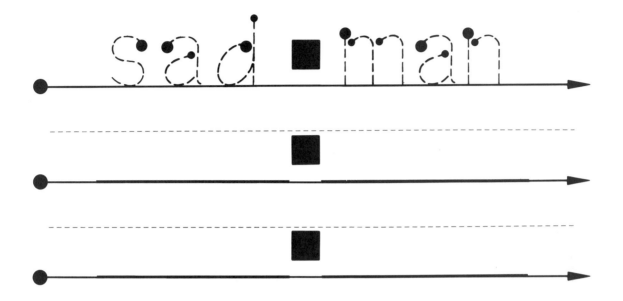

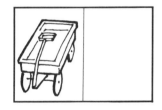   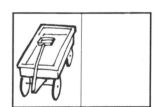

 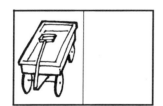 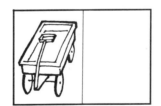 

  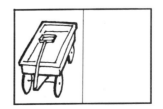 

n f̶ ⓒ

n   f
       c   n
  f
t   c   d   f
    c
         c   i
     f
           th
  c   ē   f

o •   • a
n •   • t
t •   • th
a •   • f
f •   • o
th •   • n

n
o
m
t
ē
r

mad at mē

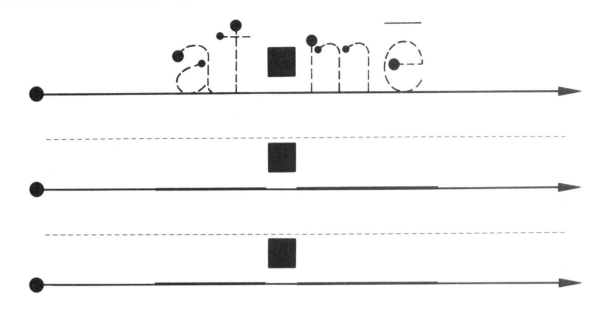

 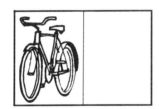 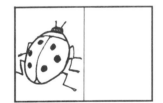 

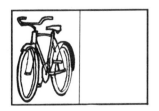 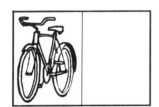 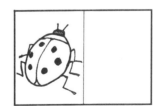 

 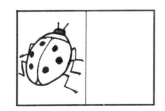 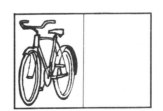 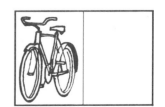

c

t   x t   i

t   f
     i
i   ē   t
          n
     t
          i

i   th
     c
     t   n

o •   • d

n •   • t

t •   • s

ē •   • n

s •   • ē

d •   • o

c

o

n

t

s

a

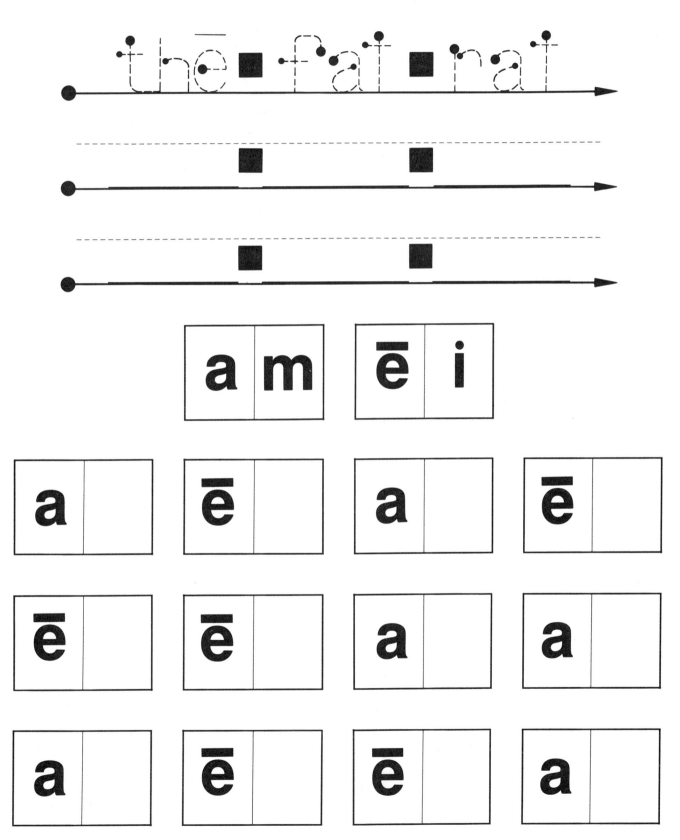

TAKE-HOME 55 SIDE 2

o ⊗ ⓓ

o

d   th   c

f   o   t

d   n

th

o   d

c   o

d

r •   • o

c •   • n

o •   • r

n •   • m

th •   • c

m •   • th

o
n
t
a
c
r

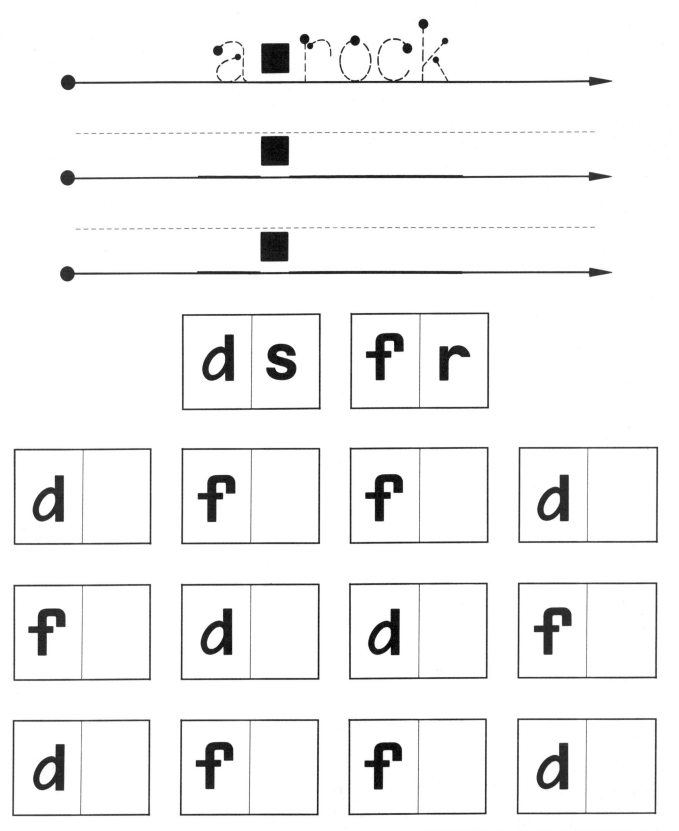

n

[box] ~~r~~ (m)

m   r

        o

    r   th

t

        o

        m

    o   r

r

    m   t m

c

n •   • c

th •   • ē

t •   • a

ē •   • t

c •   • n

a •   • th

c

n

o

m

a

d